KB096295

**바퀴 달린 간호사**

발　행 | 2024년 8월 21일
저　자 | 안소영
펴낸이 | 한건희
펴낸곳 | 주식회사 부크크
출판사등록 | 2014.07.15.(제2014-16호)
주　소 | 서울특별시 금천구 가산디지털1로 119 SK트윈타워 A동 305호
전　화 | 1670-8316
이메일 | info@bookk.co.kr

ISBN | 979-11-419-0147-9

www.bookk.co.kr

# 바퀴 달린 간호사

안소영 지음

# &lt;차 례&gt;

3

# 책을 펴내며

450여명 어르신과 만남.

어르신들의 생활, 어르신들의 인생에 살짝 숟가락 얹어 어르신들의 인생 맛 함께 합니다. 8개월의 방문간호사 이별이 아쉬워 어르신들의 인생 거리 삼아 시를 씁니다. 어르신들이 인생을 나누어 주어 인생의 지혜를 배우고 삶을 이해하는 시간이었습니다. 간호사라는 직업에 지쳐 있는 저에게 간호사 직업에 보람을 느끼게 해 주어 직업적 회복의 시간이 되었습니다. 2023년 8월 엄마와의 이별을 치유하며 첫 번째 시집 "시와 함께"를 출판하고 1년이 되었습니다. 엄마의 빈 자리를 사랑과 정으로 채워주신 경남 양산 웅상보건지소 방문간호 대상 어르신들에게 감사의 마음 전합니다.

2024.08.17.

안소영 간호사

## 작가의 말

나는 누구인가?

시대별 답도 달라집니다.

웹1.0 시대에는 나는 간호사입니다
웹2.0 시대에는 사람의 정신과 마음에 관심이
      있는 간호사입니다.
웹3.0 시대에는 사람들과 마음을 소통하고 정
      신적으로 위로를 주고 어루만져 줄 수
      있는 포근한 나눔의 일을 하는 간호사
      안소영입니다.


AI, 메타인지, 디지털문맹 너무 빠른 세상 변
화 속에서 천천히 가는 이들이 있습니다. 핸드
폰도 없고 폴더폰으로 통화하고 스마트폰 사진
을 저장하지 못해 한참을 씨름합니다.
배려하는 인생 살아온 어르신들은 메타인지를
생각할 겨를도 없었답니다. 내가 뭘 좋아하는지

내가 뭘 잘하는지 중요하지 않아 그냥 그냥 맞춰 살아 온 어르신들이 이제야 인생을 즐깁니다. 그 인생에 흥을 더하기 위해 항상 앞장서서 배우고 알리고 즐기는 저는 노인전문프로그램 강사를 꿈꾸며 어르신들의 삶의 질 향상을 위해 오늘도 엉뚱 발랄하게 살아가는 대한민국 건강 창의융합 간호사 안소영입니다.

# PART1 달리며 시를 쓰다.

진 심

진심은

진정한

힘입니다,

# 01. 간호사

내가
작은 힘이 되어 줄게요
작은 힘이 그대를 만나
큰 힘이 된다면

그것은

운명이고
기적이고
보람이고
삶이지요.

## 02. 예쁘다 예쁘다 예쁘다

예쁘다 예쁘다
예쁘다 예쁘다
예쁘다 예쁘다


한번은 그냥 뭐
두 번은 그런가?
세 번은 네! 네!
네 번은 나도 예쁘다
다섯 번은 너도 예쁘다.

## 03. 봄

어느 곳 어느 때에도 너는 희망이다
너무나 따사롭고 포근한 애칭
풍성하고 풍만한 그 세계에
아름다운 꽃 이름 달고 입장하고
내가 꽃인 양 꽃축제를 즐기는 순간
향기로 빛으로 희망으로 물들이고
또다시 언제나 찾아오는 너
너는  되돌이표 희망이다.

## 04. 가로등불

혼자 걷는 이길 이 시간
길가 큰 나무 한참 바라보고
움푹 패인 한구석에 시선이 멈출 때
머무를 수 있는 이 시간
혼자만의 시간이 참 좋다

밝고 어둡게 비추는 길가의 네온사인은
나의 감성을 유혹하고
붉게, 노랗게, 파랗게 깜박이며
내 마음 물들인다

내가 바라보길 나름인 것을
어차피 현혹하는 불빛에 의해
보이는 것 보다
보여주고자 하는 것을 이해하련다.

## 05. 하늘 그림자

하늘의 의미 없는 구름을 보며
그림을 그려본다
어떻게 뭐라도 그려 질 것 같아
가만히 바라보다
내 마음 닿는 순간 그림자 되어
하늘 그림 그린다

## 06. 2월

2% 부족한듯한 2월

2일은 어디로 갔는지

2일 찾아다니며

발버둥 치다가

월급날 되면

그냥 멈춰 버리는

공허한 2월

## 07. 티T

티 없는 마음으로
티 (Tea)를 마시며
티키타카 T(사고) 주고 받고
ET 소환하여 추억 나눈다

## 08. 어디 갔을까

두리번 훑어보다가
한 바퀴 휙 둘러보고
없구나!

아쉬움에
또 다시 두리번
어디 갔을까?

시장 갔을까
회관 갔을까
딸네 갔을까

엄마 찾아
동네 한 바퀴 돌던 시절
지금은 어르신 찾아 헤맨다

# 09. 정

동글 동글 신문지로 포장한
탐스럽고 맛깔나는 레드향
"혼자 먹어라" 하며 손에 쥐어 주신다

튀김 옷 예쁘게 입힌 냉이 튀김
괜찮다고 말하는 순간
입안에는 냉이 향 바삭인다

칡즙 건네어 열 많아 못 먹는다 하면
손수 만든 도토리묵 주시며
"이건 차가운 음식이라 딱이다" 하신다

## 10. 단정

절대로 사랑하지 않으려네
절대로 희생하지 않으려네
절대로 양보하지 않으려네
절대로 배려하지 않으려네

인생 상처 받은 어느 날
다짐하고 다짐하며
돌덩이 힘으로
버티고 버티어도

사랑하고
희생하고
양보하고
배려하며 살아가네

인생의 업 등에 업고
내 인생 천직은
이곳으로 나를 이끌어 가네

## 11. 할머니음식

어린 시절 할머니와 함께 살지 않았다
큰집에 가면 할머니에게 인사만 하고
언니들과 그냥 놀았다.
화장실 가다가 마주친 할머니
이리 와 봐라 하고 주신 음식
베지밀, 홍시, 영양갱, 박하사탕
맛있는 것들이 너무나도 많은데
어찌 이리 맛없는 것만 주는지
할머니의 음식은
맛없고 감각 없고 못생겼다
철들고 엄마가 되어도 알지 못했다
요양병원 간호사를 하면서
방문간호사를 하면서 알 수 있었다
할머니가 주신 음식
할머니의 최고의 음식
그 속에 애정도 있다는 것을

## 12. 천성

돌고 돌아 머무르는 곳
거부하고 외면해 보아도
못내 마음 쓰여 다시 돌아오는 곳

머리로 애써 외면해 보아도
가슴에 이끌려 그곳으로 향하니
그것이 천성이라고

나의 아픔이 천성을 거부하여도
어느새 그곳에 머물러
인생 맛 즐기는 나의 인생

아파도 천성이 편하고
천성을 받아들이니
아픔이 힘이 되어 치유되고

나의 천성 내면 소통의 힘으로
어르신과 하나된다

자 유

구속 받지 않을 거예요,

마음가는 대로

행동해 봐요

## 01. 인생후기

이이고 고맙다
인생 선배들의 세월 인사에
고개 숙인다

죽지도 살지도 못하고 우야면 좋노
거짓인 듯 진심인 듯
인간의 삶이 웃고프다

## 02. 빛의대화

어둠속에서 빛에게 말을 전한다
여기는 어디?
어디로 가야 하지!
언제까지 이렇게 이렇게

잠깐의 어둠일지라도
그 순간은 온 세상의 막막함이기에
빛의 행방을 찾아
끝없이 질문하며 헤매인다

## 03. 인생회로

뒤죽박죽 뒤섞인 길
어디서부터 어떻게 해야 할까
나의 일인 듯 너의 일인 듯
어쩔 수 없이 바라보다
한숨만 내쉰다

갈팡질팡 어리둥절 망설이다가도
때가 되면 어느 길 어느 방향으로 향하고
그렇게 그렇게 해내는 우리
혼란 속에서도 너와 내가 있기에
오늘도 나의 인생은 잘도 돌아간다

너의 길은 탄탄대로
나의 길은 뒤죽박죽
너의 길은 순탄해서 안정적이고
나의 길은 울퉁불퉁 모험의 길이기에
너는 조용히 잠들지만
나는 28청춘 롤러코스터를 탄다

## 04. 신비

세상 신비가 오늘인가
신기하고 비범한 오늘과 내일에
놀라운 나날 기대하며
지구 속 오늘을 보내고
달나라 갈 일 기다리며
신비로운 그날을 위해
꿈 같은 오늘을 보낸다

## 05. 삶

언제 이렇게 정성을 다했으랴
한숨 한숨 소중하고
한걸음 한걸음 중요해
정성을 다해 숨쉬고
정성을 다해 내딛는다
소중한 삶 정성다해
한숨 한 걸을 한 삶을 보낸다

## 06. 지아비

하늘이 있기에
고개를 들고
땅이 있기에
허리를 숙이고
하늘과 땅이 있어
당신을 섬기고
나를 죽인다

## 07. 시집살이

바라봐도 보이지 않는 눈
들려도 열리지 않는 귀
두 입술 깨물고 닫혀버린 입
넌 나인양 난 너인양
바라보며 달래운다

## 08. 아픔

말 할 수 있는 아픔
말 할 수 없는 아픔
아픔은 아픔이다.

## 09. 영원빵

0 은
앞장서고
뒷장서며
무한 성장을 하고

one은
앞장서서
자기를 알리고 뽐내며
자리매김하고

0빵은
여기저기 떠돌며
의미 찾아 다닌다

## 10. 마음의 소리

근질근질
꿈틀꿈틀
박차고 나오려다
기억에 눌려
시간에 쫓겨
모른척 외면하며
너를 위해
나를 위해
꽁꽁 묶어 고이 간직하다
기억이 사라지는 날
답답함에 창 활짝 열고
튀어 나오는 외마디
임금님 귀는 당나귀 귀

## 11. 메뉴

매일 먹는 밥
때때로 먹는 라면
기력충전 삼계탕


밥은 외로움 달래고
라면은 그리움 달래고
삼계탕은 인생 달래고

## 12. 놀이공부

90살 어르신 화투 퍼즐하신다
흑싸리 4월 퍼즐하신다
어르신 4월이네요
좋은 소식 오려나봐요

이게 4월이가
난 모른다
짝 맞추기만 배웠다
이 나이에 옆집 할매랑 놀라고

## 13. 인생스토리

인생 허무한 스토리
나의 인생은 리얼
너의 인생은 드라마
우리의 인생은 영화되어
한편의 그림 완성하고
참 잘 살았다
참 힘겨웠다
참 안타까운 청춘 씹으며
허무한 인생 여정
간직하고
난 나였음을 인증한다

## 14. 서러움

아기때 사랑 주는 이 없으면 서럽고
학창시절 끼어주지 않으면 서럽고
사회시절 월급 작으면 서럽고
노년시절 밥친구 없으면 서럽다


단 한 사람
단 한 사람만으로
서러움 달래기 충분하니
단 한 사람 너이기를 나이기를

## 15. 꿈

꿈은 내가 존재하는 이유
꿈은 맞춤형이기에 나만의 것
꿈은 꿈꾸는 순간에 이루어지니

꿈을 노래하려 하지 말고
꿈을 화장하려 하지 말고
꿈을 낭비하려 하지 말자

꿈은 꿈으로 지금을 누리자
이 순간도 꿈의 순간이리니

## 16. 인생맛

자두맛 사탕
청포도 사탕
딸기맛 사탕
향기로운 과일맛

계피 사탕
홍삼 사탕
죽염 사탕
건강한 자연맛

골라먹는 사탕맛
철들어 가는 인생맛

## 17. 이웃사촌

맏언니 딸네갔다
인숙언니 노래교실 갔다 온단다
자야는 병원 간단다

알아서들 오겠지
쑥이나 다듬으소
물 끓일까?
된장 풀어라

이웃사촌 둘러 앉아 어울리고
함께 나이 들어가는 인생친구
매일 서로의 안부를 전하는
마을 경로당 노친구

## 18. 티키타카

환상의 짝궁 만나면
주거니 받거니
맞장구 손뼉치고
티키타카 리듬맞춰
흥에 겨워 인생 노래한다

## 19. 하소연

하소연은 하소연 일뿐
오해하지 말자

하소연을 요리하려 하지 말고
하소연을 위로하려 하지 말고
하소연과 싸우려 하지 말자

하소연은 예방이고
하소연은 함께 함이고
하소연은 그렇다고 하는 것이니

더하지도 빼지도 말고
그 순간만 충실히
하소연하고
하소연 나누자

# PART3. 사랑 머물다

풍요

넉넉하고
풍성함은
축복입니다,

# 01. 딸기

새빨간 열정을 시샘하여
여기저기 깨 뿌려도
세콤한 味는 향기로 머물고

붉으스레한 얼굴 수줍음 감추려
여기저기 깨 뿌려도
설레임 품고 사랑 머문다

## 02. 웃음보

한바탕 웃음보가 터져
웃다가 웃고 또 웃고
온 세포가 웃음진동으로
덜덜덜
웃음 맛사지 한다

## 03. 옛시장

많이많이 주세요
옛시장의 정겨운 향기
첫 마수라서 많이주고
아기 업고와서 많이 주고
시마이라서 많이 주고
지친 하루 힘을 주는 '정'
정 한봉지 덤으로 받아
정 넘쳐 흘러
함께 정을 나누는 옛시장

## 04. 사랑감성

오글오글 느끼한 향
샤르르 스치우는 빛깔
느낌만 떠올라도 두근두근
살아 있는 설레임

작은 콩콩콩 만지며 미소짓다
한바탕 뒹굴 터져 버리게 하는
첫사랑 추억
기쁨과 사랑과 환희를 주는
삶의 설레임.

## 05. 사랑의 美惡

아름다움 속 그리워진 맘
갖고 싶고 품고 싶고 누리고 놀고 싶어
바라보다 손길 주고 묶어 버려
아름다움이 퇴색되어 빛을 잃어도
그 추억 보듬고 상상 속 향기에 젖어
아름다움을 그리고
나만의 사랑이 美惡되어 향기 잃어도
추억에 젖에 사랑 그린다

## 06. 사랑 요리하다

여기 봐도 저기 봐도
넘쳐나는 사랑
사랑의 향기 아름답게 비치면
사랑 감칠 맛 더해
맛깔나는 사랑 요리한다

때로는 톡 쏘는 인생맛
때로는 포근한 집밥
때로는 간편한 즉석요리로
사랑을 요리조리 버무리고
사랑 가득 한상차려
사랑의 양식 머금고
사랑 노래한다

## 07. 사랑 철들어가다

말하지 못해도 말하는 듯
웃음짓지 못해도 웃음 짓듯
사랑하지 않아도 사랑하듯

그렇게 살다보면
참 나인 듯 아닌 듯 한
나의 사랑을 발견한다

## 08. 눈빛 춤추다

눈빛이 흔들린다
마음이 흔들린다
감사하다고

눈빛이 춤을 춘다
정신도 춤을 춘다
함께 놀다 가라고

그 눈빛이

언제나 사랑이기를
언제나 건강하기를
언제나 행복하기를

## 09. 숨은 마음

내 마음은 너무나 소중하기에
아무도 모르는 곳에 꽁꽁 숨겨두었다

내 마음은 너무나 예쁘기에
상처 받지 않도록 고이 간직해 두었다

너무 소중하기에 섞어가도 소중했고
너무 예쁘기에 시들어도 예뻤다

나에게만 소중하고
나에게만 예뻤기에
세상 구경 한 번 못 한 내 마음
어둠 속에서 빛을 갈망하며 있을줄이야

조심히 세상구경 나온 내맘
섞은맘, 시든맘, 어느새 회복되고
빛으로 찬란하게 빛난다

## 10. 마음

예쁜 말투로 예쁘게 전하고
감사한 마음으로 멋지게 인사하고
사랑의 미소로 너그럽게 바라보면
이곳이 천국이다. 내 마음이 천국이다

## 11. 말

말에 옷을 입힌다
예쁘고 신선한 옷을 입힌다
있는 그대로 세상 구경하기에
말이 너무 빠르고 강해서
말에 옷을 입힌다

말에 옷을 입히면
말은 옷이 더러워질까봐
조심조심 세상 구경한다
그 모습 너무나 예뻐서
모두가 조심 조심 한다

## 12. 모정

깊고 깊은 눈매
단단한 코
작은 입술
미소를 숨기며
지내온 시간

툭 치면
희망과 사랑이 충만되어
미소 넘쳐나는 온정의 맘
따뜻한 맘

## 13. 내님 그리며

입가에는 미소가
머리에는 행복이
향기롭게 퍼진다


생각만으로 설레이고
설레어서 떠올리는
그 사람


볼 수 없고
만질 수 없고
만날 수 없는


그리움만으로도
기쁨을 주는
내 님이여

## 14. 참사랑

사랑이 부끄럽던 시절
사랑을 몰라 수줍어 하고
사랑이라는 말에 녹아버려
사랑에 빠진다

사랑에 빠져 보니
참사랑 친구되어
사랑 나누며 살아간다

# PART4. 그 때그시절

# 01. 그때 그 시절

보기만 해도 좋고
생각만 해도 좋고
들으면 더 좋고
불러주면 더 더 좋은
추억 속 그 시절, 그 모습

## 02. 놀이터

동네 골목 바닥에 그림 그리고
오징어 달구지, 시마치기
온 동네가 놀이터
온 동네가 언니, 동생, 친구

좁디 좁은 골목길에
덩그러니 놓여 있는 유모차
그 옆에 휠체어와 워커기
작은 골목 주차 놀이터

또 다시 바닥에 그림 그려
놀고 싶은 골목길 놀이터

## 03. 사랑 어린시절

사랑이 새록새록 자라나
풍성해져
사랑 한아름 안고 기대어 본다

고사리손 잡고 사랑 전하고
등에 기대어 사랑 재우고
우유빛깔 사랑향기 행복에 취한다

사랑 어린시절 사랑 전파하여
사랑의 힘으로 온누리 껴안고
어린시절 사랑향기에 젖어든다

## 04. 친구

미영아 놀자
어디서 뭐하고 놀까
집집마다 돌아다니며
친구 불러 모은다

언니 뭐하요
오늘 안오는교
여기저기 전화 돌리고
경로당으로 불러 모은다

## 05. 옛날과 오늘날

바람이 불어 더위를 녹이고
햇살이 비춰 하루를 깨운다


목마름에 우물 찾고
배고픔에 산으로 향한다


더위를 녹이려고 에어콘을 찾고
하루를 시작하려고 알람을 한다


목마름에 정수기를 찾고
배고픔에 편의점으로 향한다

## 06. 무엇이 좋을까

빨래를 말린다
따뜻한 햇볕과 건조기로

더위를 식힌다
시원한 바람과 에어컨으로

밥을 먹는다
집밥과 배달의 민족으로

잠을 청한다
기도와 수면제로

마음 달랜다
산책과 게임으로

무엇이 더 좋을까?
자연과 편리함.

## 07. 꿈은 이루어진다

놀고 먹었으면
일 안하고 살 수 없을까
먹고 살기 힘든 시절 스쳐간 꿈

나도 노래 잘하는데
나도 한 그림 그리는데
잊고 살아온 아쉬움

지금은
꿈을 이루기 딱 좋은 나이

## 08. 궁전

세상천지 이런 궁전이 있을까
어린시절 방하나에 부쩍일 때
내 방 하나만 있었으면....

지금은 넓은 궁전에서
홀로 있으니
그 시절 그립다

## 09. 물장구

쉴틈 없이 추는 춤은
방울방울 반짝반짝
무지개 빛되어 날 비추고
설레인 맘은
한숨 두숨 박자 맞춰 리듬 품고
어린시절 그리며
행복의 장구를 노래한다

# PART5. 인생의 계절

## 01. 바람

바람이 분다
친구와 함께 놀려고 바람분다
봄친구 만나면 봄바람
가을친구 만나면 가을 바람
산친구 만나면 산바람
들친구 만나면 들바람
바람은 누구와도 친구가 된다

그런 바람에게 부탁해 본다
우리집 양반과 어울리지 말라고

## 02. 봄비

올 듯 말 듯 수줍게 오셨군요
왔다 갔다 망설이다 오셨군요
바람과 함께 오려고 서두르셨군요
봄의 희망 한가득 간직하고 오셨군요

봄비님이 오시면
봄비님의 온도와
봄비님의 향기와
봄비님의 여운 머금어

눈물 내리는날
봄비님을 불러
함께 하자구나

## 03. 봄손님

삐걱 소리가 나서 움직이지 못하고 홀로 있으니
나를 찾아와 주는 고마운 손님
잊지 않고 찾아오는 것을 보니
내가 당신을 좋아하는 것을 아는가 보오

대접 할 것도 없는데
매번 찾아와 주니 더 고맙구료

앞마당 꽃밭에서
뒷마당 장독대에서
학교 앞 문방구 천막 아래에서
하염없이 바라만 보며 짝사랑한 님

늙은 나를 찾아와 함께 음악을 들려주네요
어느날 내가 당신을 기억하지 못하고
귀찮게 여기는 날
조용히 나를 씻어 주구려.

## 04. 이별연습

봄에는 동산 쑥캐러 가고
여름에는 뒷산 오디를 따고
가을에는 감나무 밤나무 흔들어 따자

봄에 쑥 팔아 벚꽃놀이 가고
여름에 오디 팔아 물놀이 가고
가을에 감, 밤 팔아 단풍구경가자

봄, 여름, 가을
연례행사
사랑하는 이와 만끽하고

겨울에는 휴식을
겨울에는 충전을
겨울에는 이별을

## 05. 태양의 배려

매일 아침 찾아 오는 님
눈부셔 인사하고
밝은 하루 시작한다

흐린 날 때가 되도 오지 않는 님
그리운 맘으로 마중나가면
저 멀리서 "쉿" 조용하란다

구름 가는 길 막지 말라고
태양이 양보하며
조용히 기다리란다

## 06. 장마

갈 곳 없어 다행이다
창 너머 굵은 빗줄기
하염없이 바라본다

언제나 오려나
굵은 빗줄기 멈추기 바라며
대문 열어두고 아들 기다린다

## PART6. 오늘도 살아가다

# 01. 피고지고

아기는 분유를 먹고
어르신은 두유를 먹고

아기는 이유식을 먹고
어르신은 죽을 먹는다.

아기는 손싸개를 하고
어르신은 손장갑을 하고

아기는 유모차를 타고
어르신은 휠에어를 타고

아기는 병원에서 피고
어르신은 병원에서 진다.

## 02. 물방울

뚝뚝뚝
둥근 울타리를 향해
하늘의 울림이 퍼지면

둥글둥글
흔들흔들
춤추며

깊고
넓게
생명을 울린다

## 03. 나 돌아가리라

그냥 돌아가리라
그곳이 나의 곳이니
나를 반기고 내가 반기는
살아 있은 그 곳으로

나의 어제와 나의 오늘과
나의 세상을 그 곳에 담고
마음은 황금 빛 궁전되어
오로지 그 곳에서 왕이 된다.

나와 너 그리고 우리
모두 그 곳으로 돌아가
황금 빛 궁전의 주인되어
왕으로써 사랑하며 지내자

## 04. 홀로거인

낯선 듯 익숙한 모습
너무나도 친숙한 소리에
길을 가다 멈춥니다

너도 나도 모여들어
이끌려 향한 그곳에
우뚝 서 있는 나무

너무나 크고 위대함에
우러러 바라보다
소음에 이끌려 돌아서고

위대한 힘 필요한 어느날
마음 속 나무 떠 올리며
홀로거인이 된다

## 05. 마지막 인사

삑 삑 삑 삑

어르신 그동안 고생했어요
그래도 내가 있어서 재밌었지요
어르신 자식도 너무 잘 키웠잖아요
얼마나 부러운지 아세요
내 자식도 그렇게 키우고 싶어요
어르신
걱정 할 것 없으니 잘가요
속삭이며 인사한다

## 06. 신의 영역

너무 오래 살았다
내 나이가 90살이다
언제 죽겠노
어르신들이 물어본다

이런말 저런말 해 보건만
인생사 누가 더 잘 알겠어요
어르신이 저 보다 더 살았는데

신의 영역은 모르겠고
사는 동안 즐겁게 살아요
깊은 뜻이 있겠죠

오라고 할 때 가야 예쁨 받겠죠
그 곳도 만원이라 어쩔 수 없을 수도 있으니
서둘러 가지 말고 즐기며 기다려 봅시다

거부 할 수 없는 말에
눈시울 흔들리며
그저 웃는다

## 07. 울림소리

울음은
말 할 수 없는 함축적 소리

한길 두마음 世心을
일일이 새길 수 없어
리듬의 소리로 알리우니

탄생의 소리
생애의 소리
이별의 소리

## 08. 영혼앓이

나의 발자취
머무르는 곳곳에
점 하나 남기우다

나의 발향기
스치는 곳에 머물러
바람과 함께 점을 거두우니

남은 흔적은
역사의 주인
영혼앓이의 선물

## 09. 감동

천리길도 한걸음부터
첫술에 배부르랴
티끌모아 태산

때로는 초심이
때로는 첫날이
때로는 미천함이

비로소 빛나는 날
감동의 눈물 격하게 흘리는 것이
삶이라고
마지막 가는날 눈물의 의미라고

## 10. 익숙함

작고
신선하고
새로운 것의
귀여운 설레임은
희망과 미소 주고

넓고
안락하고
익숙한 것의
구수한 정겨움은
편안과 여유 주고

## 11. 신호등

깜박 깜박 변화는 불빛
이제나 저제나 멈출까
마음으로 움켜잡고
눈으로 신호 보내며
힘껏 달리는 10대

지금이 아니라도 될지 인데
다시 오지 않는 기회를 움켜 잡듯
찰나의 순간을 놓치지 않으려
안간힘을 쓰며 달리는 20대

마침내 변한 붉은 불빛을 보며
가슴을 움켜잡고
열정을 토닥토닥 달래이며 안아주고
새로운 초록이 기다리며
멈춰 서있는 50대

## 12. 축복

고혈압, 당뇨, 고지혈증
만성질환 삼종세트
반백년 삶 속에서
만성질환으로 복용하는 약 없다면
축복이란다

## 13. 만병통치

사랑이라는 만병통치 말
좁디 좁은 마음의 혈관을 넓혀 주고
닫히고 굳어버린 심장 녹여주고
무기력한 팔 다리를 끌어주는
사랑이라는 말

그 한마디 말을 위해
이른 아침 무거운 몸 일으켜 달리고

그 한마디 말을 위해
꾸역꾸역 오늘의 일상을 소화하고

그 한마디 말을 위해
모든 임무 완수하고
사랑의 보금자리 이루어
만성피로 허문다

## 14. 고해

금방 밥 먹었는데
사탕도 먹었다
커피도 마셨다
떡도, 과일도 먹었는데

약도 먹었는데
스스로 죄를 뉘우치듯
당뇨 체크 전
어르신들 스스로 고한다

## 15. 성적표

중간고사
기말고사
시험을 치고
성적표를 기다리듯

혈압
당뇨
측정하고
수치를 기다린다

정상수치면 통과
높으면 전문가 상담
경계선이면 노력요함
건강수첩 기록하고 점검한다

## 16. 매운 말

여기저기 쑤시고
여기저기 결리고
여기저기 쥐내리고
꼼짝도 못한다
이대로 가야지
어디에 쓰겠노
고물 다 됐다

명품은 고장나도 명품이예요
지퍼고장 났다고 명품 버리지 않아요
명품은 명품이기에
존재만으로도 충분히 멋집니다

그래 맞다
그런데 니 말이 참 맵다
눈시울 깊이 슬픔 안고
한바탕 웃는다

## 17. 삼행시

고혈압

고통을 이겨내고
혈혈단신
압록강 건너와 버텨 온 삶의 훈장

고마운 마음
혈육 함께 함에
압축해서 가슴에 새긴 훈장

## 18. 놀면 뭐하니

아이고 오만신이 다 아프다
그러면서
밭일하고
마늘까고
일회용 펫트병 씻어 쓰고
일회용 비닐팩 씻어 말리고
사서 고생하시는 어르신
놀면 뭐하노 하신다

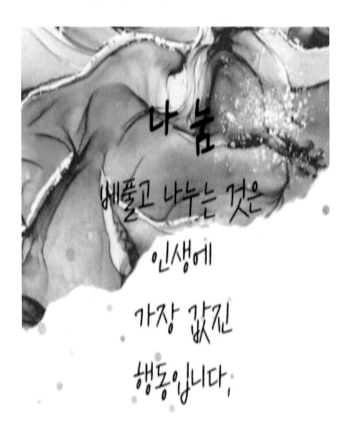

나눔

베풀고 나누는 것은

인생에

가장 값진

행동입니다;

## 01. 춘향이

새색시 마음인양
사뿐이 사뿐이
넘어질라, 엎어질라
춘향이 마음으로 살포시

80인생 꽃신
닳고 닳아 달릴 수 없으니
편안하게 안전하게
인생리듬 맞춰
사뿐이 사뿐이

## 02. 소모품

영원할거라 생각했는데
어느 날 볼펜이 나오지 않는다.
뚜껑을 돌려서 심을 확인하면
아직 남아 있는데 왜 안나오는지.
더 힘주어 그리다가 나오지 않으면 그냥둔다.
새 펜으로 다시 시작하다가
어느날 망각하고 다시 꺼내어 쓰면
언제 그랬는가 잘도 나온다.
그러다 또 멈춰버리면
'아하' 너구나 알아차린다

그러면서 또 던져두고 새 펜을 찾는다.
그런 너를 버리지 못하는 것은
또 어쩌다 나오겠지.
미련 때문일까!
충전하면 회복 될거라는 믿음 때문일까
닳고 닳은 뼈마디 같은 모습에
분신인양 옆에 두고
함께 써 내려간 인생 이야기
감상하려 두는 것인지
익숙함에 자꾸 손길 가는
닳아 버린 너의 모습 간직 하고프다

## 03. 인생리듬

뛰어 가는 젊은이
두리번거리며 걷는 어르신
우왕좌왕 갈팡질팡
어쩔수 없는 멈춤
달리는 젊은이에게
길 내어 주고
조심히 다녀라
마음속으로 천번 되새긴다

한발 한발 한발
정성스럽게 걷는 어르신
그 뒤를 졸졸졸 따라가는
까만 중형차
앞서 가지 못하고
경적 울리지도 못하고
어쩔수 없이 서행하며
한발 한발 인생리듬 맞춘다

## 04. 천생연분

난 해 줄 것도 없는데
이렇게 와주니 고맙소
잘생긴 어르신 인사 하신다

어르신 소실적 인기 짱?
그랬지 한인물 했지
그러니 예쁜 할매 만났지

할머니 혹시 맘 고생 하셨나요?
했지. 그래도 지금은 잘한다
굵은 가락지 끼신 할머니
얇은 목소리로 애기 하신다

천천히 뛰는 맥박에
어르신 금가락지도 끼고
사랑도 받으시고 좋으시겠어요
박수치며 하이파이브 유도 해본다

오랜만에 실없는 소리에 웃어본다 하신다
버릇없이 죄송하다 하니
할아버지 고맙다 하신다

맥박 약한 할머니 보내고
한달 뒤 뒤따라 가신 할아버지
100세 인생 약속이라 한 듯
그렇게 가셨다

나의 첫 방문에
반겨 주신 할아버지
웃어 주신 할머니

나도 그렇게 천생연분 되려나
어르신을 그려본다

## 05. 거짓말

장사꾼 남는 것 없다
처녀 시집 안간다
노인들 빨리 죽을란다
삼대 거짓말

장사꾼 인건비가 남는 것
처녀 시집 안 만든다
노인들 100세 전에 죽을란다
삼대 거짓말의 진화

## 06. 촛불과 지우개

촛불은 빛나고
지우개는 空하니


촛불은 온몸으로 陽 밝히고
지우개는 온몸으로 黑 지우니


온 몸을 다 바치는 인생과업은
누구를 위한 것일까

## 07. 인생스토리

인생 허무한 스토리
나의 인생은 리얼
너의 인생은 드라마
우리의 인생은 영화되어
한편의 그림 완성하고
참 잘 살았다
참 힘겨웠다
참 안타까운 청춘 씹으며
허무한 인생 여정
간직하고
난 나였음을 인증한다

## 08. 노부부

할아버지
밥 잘 먹는다
누우면 바로 잔다
꼼짝 안한다

할머니
밥만 잘먹나, 술도 잘 먹지
누우면 자기는 날밤 지새우면서
꼼짝 안하기는 동네 일 다 보고 다니면서

어르신들 티격태격 대화 속에서
나의 부모님 생각나 웃으며
그리운 엄마 그려본다

## 09. 모전자전

일터에 나가시는 어머니
어린 아들
밥걱정
건강 걱정
안전 걱정

일터에 가는 아들
어머니
밥걱정
건강걱정
안전걱정

## 10. 그럼에도 불구하고

너무 너무 너무
애쓰지 마세요
욕심내지 마세요
우습게 보지 마세요.

그러면서도

애쓰고, 욕심내고, 우습게 지내는 날들

## 11. 술래

가위 바위 보
운명의 시간

두렵고 무서워
꼭꼭 숨으려 했건만

주어진 임무는
오감을 깨우고

사라질 줄 모르는
운명을 찾아 헤매인다.

## 12. 알면서도

맛있는거 알면서도
좋은거 알면서도
아픈거 알면서도
슬픈거 알면서도
어쩔수 없는걸 알면서도
이렇게 될줄 알면서도 .......

## 13. 삶의 이유

아이고 고생이 많네
미안하다
내가 빨리 죽어야 하는데

어르신 그런 말 마세요
제 일자리 날아가요
저도 먹고 살아야죠

우리 딸 아들 아직 꼬맹이예요
나 돈 많이 벌어야 하니
어르신 오래 오래 사셔야 해요

# PART8. 치매

# 01. 새마을

새마을 어디로 가요
뭐 하시계요

마 이름이나 적어주소
이름이 뭐예요

박서방
박아무개
박거시기
다 적어라
많이 적어라
쌀 한 대라고 더 받는다

쉿 — — —
아무한테 말하지 마소

## 02. 안성댁

안성댁 아니가
안성댁이 누구예요
아랫마을 새색시 아니가

아.....

안성댁.
안성댁 아닌교
아... 네....어르신

## 03. 소통

아이의 말을
알아 듣기 힘들 때
엄마는 알아듣는다

어르신의 표현을
알아 듣기 힘들 때
난 가끔씩 알아 듣는다

엄마의 마음으로.

## 04. 미역국

못 먹겠다
죽을란다
가져가라


먹고 죽은 귀신 떼깔도 좋다는데
살아라고 미역국 가져 왔는데
아이도 낳고 사셨잖아요
죽기는 뭐 죽는다고 그러실까


어르신 아 몇이나 낳았어요
내가
다섯인가
여섯인가 낳았다 아니가


어르신 미역국 엄청 드셨겠네요
보세요....
그 사이
미역국 한그릇 다 드셨네요

## 05. 김밥

어르신 밥 드세요
안 먹는다

아.... 한입만요
안 먹는다. 밥만 먹고사냐

그래도 아...
당장 치워라

김밥드세요
뭐고

글쎄요
줘봐라

네 맛있게 드세요

## 06. 언니야

언니야 참 예쁘네
언니야 파마했나
언니야 화장했나
언니야 결혼했나
언니야 애는 몇이고

언니야
언니야
언니야... 나 과자 줄래

## 07. 딸

어르신 약 드세요


안먹는다
내가 모를 줄 아나
약 먹여서 죽일라고 못된년


엄마


니 누고


딸아니가
엄마 나도 몰라보나


내 딸이가?


그럼요
딸이죠
엄마 약 드세요.

## 08. 석이

집에가자
석이 기다린다
석이 밥줘야 된다

석이가 몇 살이예요
10살이가
7살이가
모르겠다

어르신 식사부터 하고 가요
아니다 우리 석이부터 밥주고

어르신 석이 밥 먹었데요

석이 밥 먹었는교
아이고.... 고맙소

네 어르신 식사하러 갑시다

## 09. 초코파이

"아줌마 이거 먹어라"

아이고 난 안 먹을라요

네네 어르신 저도 안주셔도 되요
어르신 이거 유통기한 지나서
어르신도 드시면 안되요

아이고 나 뒤라
우리 석이 줄란다

석이는 더 맛있는거 줘야죠
이거는 섞어서 못 먹으니까
치울께요

여사님
어르신 기저귀 교환해 주세요
초코파이가 나와서 뭉개고 있네요

## 10. 야시

어르신 약 드셨어요

먹었다

누가 줬을까요
저녁약 여기 있는데요

그 야시처럼 생긴년이 줬지

그건 어제겠죠

그런가!

네 어르신 약드세요
그런데  야시 같은 년이 누구예요

누구긴 누구야
바로 니 아니가

## 11. 나 있어

수진이다!

수진이가 누구예요?

나

그런데 왜 내가 수진이예요?

있어

거기에 나 있어

검은 옷 입은 나있어

## 12. 정체성

내가 누구예요?
아줌마

나 아줌마 아닌데요
아가씨

나 아가씨 아닌데요
춘자

나 춘자 아닌데요
순자

내가 누구예요
같은 질문 다양한 답

## 13. 누구아이

아저씨
그 아이는 누구 아이요

나는 춘식이 아이인데
그 아이는 누구 아이요

이 아이는 미자식당 아이요
식당밥 아이 아니요

아저씨 아직 아이 안 낳았어요
언제 나와요

글쎄요
애가 나올 생각을 안하네
나오고 싶을 때 나오겠지요

## 14. 105동 103호

이름없는 촌스러운 이름
존재감을 알리우는 이름
그렇게 불리우고 외치며
지내온 날 속
너의 이름
오락가락 헤매이다 맞닥들이고
지친하루 끝자락 너를 불러
촌스러운 모습으로
사치를 부리며 비비운다

## 15. 대한민국

우리 나라 대한민국
무궁화 삼천리 화려강산
변함없는 나의 나라 대한민국


유치원 시절
대한민국 국기 태극기를 알고


초등시절
대한민국 위치 세계지도에서 찾고


세월이 지나
치매검사 할때도 잊지 않는
우리 나라 대한민국


오늘이 몇일인지 몰라도
지금 있는 곳이 어디인지 몰라도
10명 중 10명 모두가 잊어버리지 않는
우리나라 대한민국

# PART9. 나의가족

## 01. 웃음코드

난 우스워 죽겠는데
무심히 있는 그를 보고
웃음을 멈춘다.

난 바빠 죽겠는데
가만히 있는 그를 보고
눈에 힘주고 째려본다

그러다
마주친 눈빛에
빵 터져 버린다

웃음도 고통도
눈빛만으로 통하는 순간
쉬어 가라고 그는 나를 놀린다

언제나 엉뚱한 나의 남편
그가 있어 오늘도 웃으며 쉬어간다

## 02. 고사리편지

자다 깨다 이리저리 뒤척이다 시선이 머문곳
그냥 하염없이 쳐다 보다 이끌린다
무심히 내버려 둔 것이
이 순간 내 마음을 파고 들어
찐한 감동 한모금 선사한다

"엄마 어버이 날이네요
나를 나아주셔서 나는 지금 있어요.
엄마가 있어 조아요.
아빠가 있어 재미서요
어버이날 축하드려요
나중에 맛있는거 먹거요."

책틈에 꽂혀 있는 편지 봉투
그 속에 숨은 사랑 여운
고사리 손 떠 올리며 미소 짓는다

## 03. 꼴찌선생님

6-6 교실 앞에서 언니를 기다립니다
4반 언니 친구 지나가며 영이 동생이네
그 말에 부끄러워 얼굴 붉어집니다
3반도 마쳤고 1반도 마쳤는데
6-6반 선생님 꼴찌 선생님
종례가 빨리 끝나기를
복도벽 기대어 고개숙이고
언니 나올때를 기다립니다.

## 04. 어느날 문득

어느 날 문득 떠오르는 곳으로
여행을 떠난다
기억의 네비게이션을 따라
추억의 그곳으로
기억의 네비게이션만 믿고 따라간다

어느 날 문득 떠오르는 곳으로
여행을 간다
마음의 네비게이션을 따라
꿈인지 현실인지 모르는 그곳으로
마음의 네비게이션이 인도하는 곳으로 따라간다

어느 날 문득 떠오르는 곳으로
여행을 간다
기억 속 그곳으로 추억 속 그곳으로

엄마의 품으로

## 5. 귀찮은 당신

어렴풋이 떠오릅니다
꿈 속에서
어둠 속에서
방향을 잃을 때
항상 귀찮게 하는 당신
지금도 참 귀찮은 당신
당신 덕분에 나의 오늘이 있습니다
귀찮은 세상 등지고 싶은데
당신이 자꾸 귀찮게 하여
귀찮은 세상 살아갑니다.

귀찮은 세상 살아보니 살만하더군요
어느덧 나도 당신이 그랬던 것처럼
누군가를 귀찮게 하고 있습니다.
귀찮은 세상 떠나고 싶은 이들을
귀찮게 하고 있습니다
그렇게 오늘도 당신 덕분에
세상 더불어 살아갑니다

## 06. 같은 옷 다른 느낌

엄마의 옷장을 정리하자
혼자서 힘들어 모두를 부른다
큰언니 닭띠
둘째언니 돼지띠
셋째 나 소띠
넷째 여동생 말띠

큰언니가 입으면 엄마 느낌
둘째 언니가 입으면 개성미
셋째가 입으면 있는 모습 그대로
넷째가 입으면 남의 옷 입은 듯

비싸고 예쁜 옷은
자기가 제일 잘 어울린다고 하고
취향이 비슷한 옷은
먼저 찜한 사람이 주인이 된다

작아도 입고 싶고 커도 입기 싫고
어울려도 내 스타일이 아니라 싫고
어울리지 않아도 갖고 싶은 옷
나는 입기 싫지만
남에게도 주기 싫은 옷
입지도 못하는데 간직하고 싶은 옷

옷 정리 전쟁을 하며
온 집안은 소란의 장이 된다

그렇게 네 자매는
엄마의 옷장을 정리하며
엄마와 이별한다

## 07. 도레미파솔 솔 솔

도레미파솔 솔 솔
라시도를 부르려니 너무나 높다
잘 부르고 싶은데 왜 그리 높은지

도레미파솔 솔 솔
라시도가 높아
그냥 낮게 부른다

도레미파솔라시도
높게 불러야 하늘에 닿는다며
딸은 아름답게 정성껏 부른다

그 모습에 반해
도레미파솔라시도
소리 높여 불러본다

하늘나라
엄마에게 닿도록

## 08. 청개구리

양말목 늘어나서
버리려고 두면
곱게 개어 양말통에 넣고

반품 택배 박스
굳이 들고 와서 뜯어보고

박스 재활용 사용하려 두면
손살같이 버려버리고

뿌듯하게 할 일 다한 듯
칭찬 기다리는 청개구리 남편

## 09. 엄마노트에 시를 쓰다

엄마를 보내고
엄마의 책장에 빨간 선물상자
그 속에 빨간 다이어리
엄마 절친 딸이 선물했다는
2022년 탐나는 노트
그대로 뚜껑을 닫고
나의 가방속으로

그립고 외로워 잠 못자는 밤
빨간 다이어리 꺼내어
한참을 보다가 글을쓴다
지금의 나를
지금의 가족을
기억속 사람을
2022년 빨간 엄마의 다이어리에
2024년 스토리를 담는다

## 10. 엄마는 꺼리

엄마는
이야기꺼리
나눔꺼리
사랑꺼리
감사꺼리
인생꺼리
하늘나라 꺼리

## 11. 하늘빽

하늘에 아는이 없어
하늘 쳐다 보지 않았다
이제는 하늘에
커다란 빽 있으니
당당히 하늘보고 외친다
든든한 하늘빽 엄마 있다고